VAUGHAN PUBLIC
Y0-AFR-289

Frédéric Raymond

L'arbre maléfique

TOME 1 de la série
La rue du Lac-Frisson

**Illustrations
Mathieu Bellemare**

Collection Œil-de-chat

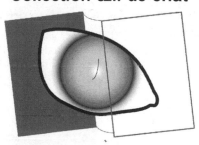

Éditions du Phœnix

© **2016 Éditions du Phœnix**

Dépôt légal, 2016
Imprimé au Canada

Illustrations : Mathieu Bellemare
Graphisme : Hélène Meunier
Révision linguistique : Sylviane Thibault

Éditions du Phœnix

206, rue Laurier
L'île Bizard (Montréal)
(Québec) Canada H9C 2W9
Tél.: (514) 696-7381   Téléc.: (514) 696-7685
www.editionsduphœnix.com

Catalogage avant publication de Bibliothèque et Archives
nationales du Québec et Bibliothèque et Archives Canada
Raymond, Frédéric, 1980-

   L'arbre maléfique

   (La rue du Lac-Frisson ; tome 1)
   (Collection Œil-de-chat)
   Pour les jeunes de 9 ans et plus.
   ISBN 978-2-924253-73-1

   I. Bellemare, Mathieu. II. Titre. III. Collection :
Collection Oeil-de-chat.
PS8635.A945R83 2016   jC843'.6   C2016-941052-8
PS9635.A945R83 2016

Conseil des Arts   Canada Council
du Canada   for the Arts

Financé par le
gouvernement
du Canada | Canadä

Nous remercions la SODEC de l'aide accordée à notre programme de publication. Nous reconnaissons l'aide finan-
cière du gouvernement du Canada par l'entremise du
Fonds du livre du Canada pour nos activités d'édition à
notre programme de publication.

Nous remercions le Conseil des arts du Canada de son sou-
tien. L'an dernier, le Conseil a investi 154 millions de dollars
pour mettre de l'art dans la vie des Canadiennes et des
Canadiens de tout le pays.

Frédéric Raymond

L'arbre maléfique

Éditions du Phœnix

Pour Lauriane,
Jordane et Méliane

Chapitre 1

Un oiseau noir fixait Simon de la cime d'un pin blanc. Le garçon observait aussi l'animal à plumes. Il se demandait de quelle espèce il s'agissait. Mentalement, il nota ses caractéristiques et la forme de son corps. Il se promit de consulter son livre d'ornithologie dès qu'il reviendrait à la maison.

Sa nouvelle maison.

Simon n'avait pas l'habitude d'aller en forêt. Tout ce qu'il connaissait du bois, il l'avait appris à la télévision ou dans les livres. Avant, il habitait en ville, dans un appartement où le seul terrain de jeux était une ruelle asphaltée. La végétation se

résumait à des plantes en pots accrochées aux balcons. Et la faune, à des pigeons, à des chats de ruelle et à des animaux domestiques.

L'oiseau ne le captiva pas très longtemps. Simon détala à toutes jambes. Ses espadrilles firent lever la poussière. Au pas de course, il enjamba une souche et atterrit dans une flaque de boue. L'eau éclaboussa les plantes en bordure de la piste. Un sourire permanent éclairait le visage du garçon. Entre jouer avec ses anciennes voisines et courir seul dans la forêt, le choix était facile.

Ici, dans son nouvel environnement, Simon se sentait enfin libre. En raison du déménagement, sa mère l'avait forcé à préparer les boîtes, à les défaire et à ranger leur contenu, à passer le balai, et patati et patata. Trois jours après leur arrivée, elle lui avait enfin permis de sortir jouer plus de dix minutes. La forêt, la nature, les animaux. Un labyrinthe de sentiers qui n'attendait qu'à être exploré. Simon en arpenterait chaque recoin. Oh! ça oui! Il ne négligerait aucune crevasse, aucune clairière.

Être seul pour jouer lui importait peu. Son imagination faisait naître des créatures qui, en général, lui suffisaient. Mais pour l'instant, il n'avait pas besoin d'imaginer quoi que ce soit.

Simon devina une éclaircie à travers les arbres. Le sentier rétrécissait. Si le garçon s'en écartait, il ne le retrouverait peut-être pas. Cependant, la question n'était plus de rester ou non sur le sentier, mais de découvrir les secrets de cette clairière. Les feuilles lui caressaient les bras et les branches lui égratignaient les jambes. Ce n'était pas suffisant pour ralentir sa course. Au contraire, ce n'était qu'un coup de fouet supplémentaire pour attiser sa curiosité.

D'un bond, Simon traversa la dernière barrière feuillue et aperçut un chemin plus large, fréquenté par des véhicules toutterrain. Il resta un instant sur place afin de contempler le paysage. Le sentier qu'il venait de découvrir communiquait avec celui qui longeait le cimetière. En le suivant, il pourrait rentrer chez lui illico presto.

Simon reprit sa course, car le fait de demeurer immobile avait attiré des mouches autour de sa tête. Dans le but de les fuir, il traversa un buisson constellé de minuscules fleurs blanches. Il frotta ses tempes pour se débarrasser des pétales perdus et poursuivit son chemin. Cependant, il ne courut pas longtemps. Une nouvelle découverte lui fit oublier les insectes. Devant lui, une cuvette naturelle accueillait un arbre au tronc difforme, dont les branches noueuses s'étendaient vers le ciel comme des bras menaçants. Le feuillage de l'arbre, épars, s'agitait sous le vent. On aurait dit des feuilles d'automne sur le point de tomber. Pourtant, Simon avait

l'impression que leur couleur noirâtre était naturelle, d'autant plus qu'aucune feuille morte ne couvrait le sol autour de l'arbre. L'espace d'un instant, le garçon se demanda si ça existait, un arbre mort-vivant. Il rejeta vite cette idée à la fois loufoque et terrifiante. Malgré tout, la scène ne lui inspirait rien de bon, surtout avec l'ombre du feuillu qui s'allongeait au fur et à mesure que le soleil s'approchait de l'horizon. Simon resta là un moment. Il n'arrivait pas à détacher son regard de l'arbre. Le poil de ses bras se hérissa et, soudainement, il fut pris de frissons. Il recula d'un pas, puis

d'un autre, sans quitter la silhouette tordue des yeux.

En faisant un effort qui lui sembla colossal, il se détourna de ce qu'il se décrivait mentalement comme une gigantesque patte de poulet calcinée. Alors qu'il se retournait, il eut l'impression que des racines s'extrayaient du sol pour l'empêcher de partir. Malgré ses craintes, il détala sans que sa course soit entravée. Cette fois, il ne passa pas par la forêt, car avec la brunante qui s'installait, il avait la sensation que les arbres étaient de connivence avec le géant tordu de la cuvette. Il prit donc le sentier qui longeait le cimetière. Il courut si vite qu'il arriva chez lui en moins de cinq minutes. Quand il passa la porte, il la verrouilla derrière lui. Sa mère le regarda d'un œil curieux, mais elle ne lui posa aucune question, affairée qu'elle était à préparer le souper. Justement, l'odeur de la viande le fit saliver. Simon oublia vite son aventure, qu'il imputa à son imagination débordante.

Chapitre 2

Le carré de sable était presque aussi grand que le lit de ses parents. Dès que Simon eut sorti ses vieux camions d'une boîte, il s'attela à construire une cité miniature. Retrouver ces jouets l'avait replongé dans ses souvenirs d'enfance. Alors même si ce n'était plus de son âge, il avait commencé à creuser des routes dans la terre. Il ne remarqua pas le garçon qui s'approchait de lui. Il sursauta quand ce dernier parla.

— Est-ce que je peux jouer avec toi ?

Simon jaugea le nouvel arrivant. Comme il semblait du même âge que lui, il l'invita à approcher d'un signe de tête. À l'ancien appartement, les seuls enfants de son âge étaient les fichues jumelles, un duo infernal avec lequel il ne s'entendait pas très bien. Les autres étaient soit trop jeunes, soit trop vieux pour jouer avec lui.

— Moi, c'est Mathieu. Toi, c'est quoi, ton nom ?

— Simon. Je construis une ville réaliste dans le sable. Aide-moi à creuser ici.

Simon pointa un camion et désigna la section à excaver. Mathieu prit le véhicule et entreprit de creuser une nouvelle route. Au fur et à mesure que le travail avançait, les garçons apprenaient à se connaître un peu.

— C'est quoi, ton émission préférée ? demanda Simon.

— *La guerre des étoiles* ! Mais je préfère les vieux films, que mon papa m'a fait découvrir, pas les plus récents.

— Moi, j'aime les superhéros. J'ai vu tous les films. Des dizaines de fois. Mais ce que j'aime le plus, ce sont les bandes dessinées et les figurines. Mon oncle m'en a donné des tas ; c'est un collectionneur. Il y a des personnages que je ne connaissait même pas. J'ai dû faire des recherches sur internet. Mon héros préféré, c'est Wolverine. Savais-tu que c'est un Canadien ?

Simon leva son poing en imitant le son que faisaient les griffes du mutant quand elles sortaient de ses jointures.

— Snikt ! Je suis indestructible !

Les garçons éclatèrent de rire en s'imaginant combattre les méchants. Mathieu pilotait un jet alors que Simon sautait, sans parachute, pour infiltrer la base ennemie. Quand ils eurent repris leur sérieux, Mathieu posa à son tour une question :

— Est-ce que tu crois aux monstres ?

Simon resta silencieux un instant. Il se demandait si la question de Mathieu avait rapport avec une émission de télévision ou si... Étrangement, il avait l'impression que son ami faisait référence à autre chose. Peut-être Simon n'avait-il pas halluciné quand il avait vu l'arbre... Il hésitait à en parler, mais il n'avait rien à perdre, après tout.

— Hier, je suis allé me promener dans le bois, en arrière. J'ai vu un arbre qui avait précisément l'air d'un monstre.

Le silence de Mathieu en disait autant que ses yeux écarquillés et sa bouche entrouverte. Simon se demandait ce qu'il devait faire.

— Tu as vu l'arbre ? continua finalement Mathieu.

Les garçons avaient arrêté de jouer. Leurs camions gisaient, immobiles, dans le sable.

— Je courais dans le sentier et je suis arrivé près du trou. Quand j'ai vu l'arbre, je suis resté figé. J'avais l'impression qu'il me regardait.

— Luc aussi pensait ça.

Simon attendait que Mathieu lui explique qui était Luc, mais il resta muet à ce sujet.

— C'est qui, Luc ?

Mathieu jouait dans le sable avec ses doigts. Il semblait absorbé par la contemplation des grains. Il resta ainsi pendant près d'une minute avant de lever les yeux vers Simon.

— C'était mon ami. Avant que l'arbre ne le mange.

— Tu penses que l'arbre l'a...

Mathieu ne lui laissa pas le temps de finir sa phrase.

— J'en suis certain.

Simon s'absorba à son tour dans la contemplation des grains de sable, de leur multitude et de leur structure cristalline. Les observer laissait son esprit libre de réfléchir à ce que Mathieu lui avait dit, et de mettre cette nouvelle information en commun avec ce que ses parents lui avaient déjà appris.

Évidemment, Simon et ses parents n'étaient pas la première famille à habiter la maison bleu et blanc. Avant eux, il y avait eu une autre famille et un garçon de son âge nommé Luc. Le père de Simon lui avait raconté ce qui était arrivé au fils des anciens propriétaires; Simon s'en souvenait maintenant. Un jour, Luc avait dit à sa mère qu'il allait jouer dans la forêt, mais il n'en était pas revenu. Les policiers avaient organisé une battue, mais ils ne l'avaient jamais retrouvé. Les recherches s'étaient étendues à l'échelle de la ville et de la province : sans succès. Les médias avaient beaucoup traité de l'affaire. Simon en avait entendu parler avant même que ses parents ne considèrent la possibilité d'acheter cette maison.

Ces derniers étaient tombés sur l'annonce par hasard. Une aubaine, selon son père. Bien sûr, sa mère avait un peu hésité avant d'accepter. Quand même, personne n'était mort dans le bungalow et rien n'indiquait que Simon courait un quelconque danger.

— L'arbre? demanda finalement Simon.

Mathieu soutint son regard.

— Luc était obsédé par l'arbre. Il en parlait tout le temps depuis qu'on avait découvert le Chaudron au cours d'une promenade dans le bois. Il passait beaucoup de temps à le dessiner, aussi. Pas tel qu'il est en réalité, mais comme s'il était un monstre. Dès qu'on se retrouvait seuls, il me parlait de l'arbre. Tellement qu'à l'école, il y avait des élèves qui nous écœuraient parce qu'on passait des récréations à chuchoter dans un coin.

Mathieu se tut, comme s'il comprennait soudainement qu'il en avait trop dit. Simon le remarqua, mais avant qu'il n'ait pu changer de sujet, sa mère l'appela pour l'emmener faire des courses. Quand même, les deux garçons se promirent de poursuivre la construction de leur ville miniature le lendemain. Simon regarda Mathieu rentrer chez lui d'un pas vif. C'était clair pour lui : son nouvel ami était terrifié.

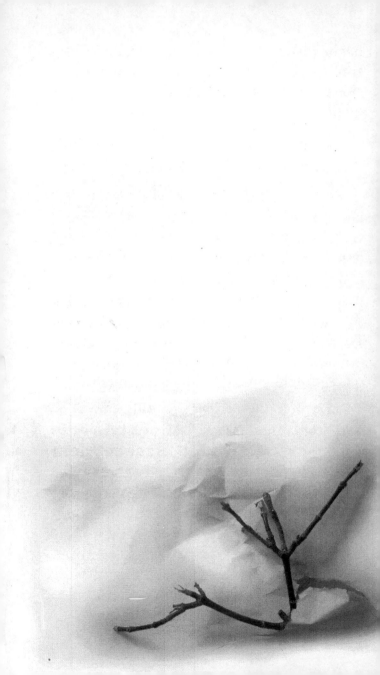

Chapitre 3

Il avait plu toute la journée. La grisaille du matin avait été telle que Simon avait convaincu sa mère de louer un jeu vidéo. Il aurait aimé téléphoner à Mathieu pour l'inviter à jouer avec lui, mais il n'avait pas son numéro, et en plus, il n'avait qu'une seule manette.

Simon tua des monstres une bonne partie de la journée. Il ne prit pas tellement plaisir à sa séance de massacre virtuel, mais elle lui permit au moins de passer le temps. Pour une fois, sa mère ne l'obligeait pas à jouer dehors. Seulement, c'était ce qu'il aurait souhaité faire. Partir à vélo dans la forêt avec Mathieu. Rien de mieux qu'une visite guidée pour mieux connaître les alentours. Mathieu aurait pu lui faire découvrir bien des choses. Ils auraient même pu aller voir l'arbre ensemble.

L'arbre...

Simon l'avait presque oublié.

Sa discussion avec Mathieu lui revint à l'esprit. Ça devait être dur de perdre un ami. Bien sûr, Simon en avait perdu quelques-uns avec le déménagement, mais au moins, il les savait encore vivants.

Les doigts engourdis d'avoir trop appuyé sur les boutons et les yeux fatigués d'avoir fixé l'écran, Simon éteignit le téléviseur. Il étudia un instant la possibilité de regarder un film, mais il en avait assez de s'encroûter dans le sofa du salon.

Il erra dans la maison plusieurs minutes, jusqu'à ce que sa mère l'interpelle :

— Tu as l'air en peine de ta peau.

Simon lui répondit d'un haussement d'épaules.

— Si tu ne sais pas quoi faire, va donc faire le ménage de ta chambre. Je suis certaine qu'il te reste des boîtes à vider.

Simon regarda sa mère un moment, puis haussa à nouveau les épaules. D'un pas lent, il marcha vers sa chambre. Quand la perspective de ranger devenait alléchante, c'était qu'il s'ennuyait vraiment !

Il commença par ramasser le pyjama qui traînait sur le plancher. Puis, il entreprit de défaire quelques boîtes. Il plaça des livres dans sa petite bibliothèque et aligna des figurines tirées de différents univers sur son bureau. Les plus vieilles lui venaient de son oncle, qui collectionnait lui aussi les figurines. Les autres, il les avaient achetées avec son argent de poche.

Il ouvrit la troisième boîte pour découvrir un fouillis de crayons, d'articles pour bricoler et de jouets divers, souvent issus de boîtes de céréales. Il en vida presque tout le contenu dans le premier tiroir de son bureau. Il trierait le tout plus tard.

Lorsqu'il ouvrit la quatrième boîte, il découvrit enfin ce qui lui permettrait de s'occuper pour le reste de l'après-midi. Sa boîte de crayons de couleur.

Sans se soucier du désordre qu'il engendrait, Simon débarrassa sa table de travail en balançant tout ce qui s'y trouvait pour le mettre sur son lit. Il rangerait ensuite.

Simon s'assit sur la chaise inconfortable. Devant lui, il installa une pile de feuilles blanches et, sur sa gauche, il ouvrit la boîte de crayons. À moins d'un mètre de son visage, les stores métalliques s'entrechoquaient sous l'effet du vent qui entrait par la fenêtre ouverte. Au-delà de celle-ci, Simon apercevait la forêt. S'il avait eu le regard de Superman, il aurait pu voir le Chaudron et son arbre terrifiant.

Simon prit un crayon et commença à dessiner. Il voulait représenter l'arbre le plus fidèlement possible, pour se prouver que ce n'était qu'une plante lugubre, et non un être cauchemardesque. Il avait bien l'intention de retourner le voir, avec ou sans Mathieu, mais il devait attendre que la pluie cesse.

Le crayon de Simon grattait le papier avec hésitation. Il n'avait jamais aimé le dessin à main levée. Le produit final ne ressemblait jamais à ce qu'il imaginait au départ. C'était aussi vrai ce jour-là : son premier essai était tellement raté qu'il ressemblait aux gribouillages de son cousin de six ans.

Simon chiffonna la feuille et la lança par terre. Il avait au moins cette satisfaction. À la télé, quand les écrivains ou les artistes n'aimaient pas le résultat de leur travail, ils froissaient la feuille pour en faire une boule et la lançaient en poussant un grognement. Même s'il était déçu de ses talents artistiques, Simon prenait plaisir à se débarrasser de ses dessins ratés. Après quatre tentatives infructueuses, il plaça une dernière feuille blanche devant lui.

Avant de poser son crayon sur le papier, Simon ferma les yeux. Il inspira profondément et tenta de visualiser en détail ce qu'il avait vu.

Le tronc tordu. Les branches noueuses. L'aura maléfique qui irradiait de l'arbre.

Simon ouvrit les yeux, décidé à réussir, cette fois. Au bout d'un moment, son crayon roula par terre. Sur la table, une représentation de l'arbre du Chaudron, pire que dans ses souvenirs, le narguait. Le rictus griffonné à même l'écorce de l'être infernal fit naître en lui une terreur viscérale. Il repoussa sa chaise et faillit basculer sur le côté en se levant. Il recula de quelques pas.

Avait-il vraiment dessiné ça ? C'était à des années-lumière de ses croquis précédents. Et il ne se souvenait pas d'avoir posé le crayon sur le papier. Ni d'avoir senti son bras bouger.

Perplexe, il cacha son œuvre sous la pile de feuilles blanches et sortit de sa chambre en courant. Une boisson gazeuse lui remettrait les idées en place.

Chapitre 4

Simon pédalait à toute allure. Derrière lui, Mathieu peinait à le suivre. Il était capable de rattraper Simon, mais il manquait d'enthousiasme pour rejoindre son copain. Au grand désespoir de Mathieu, Simon n'avait qu'une seule idée en tête ce matin-là : revoir l'arbre.

Avant même que les dessins animés du matin ne soient terminés, Simon avait frappé à la porte de la maison de Mathieu. Il avait trouvé ce dernier en pyjama, en train de manger des Froot Loops. Son ami était surpris de le voir si tôt, mais il l'avait invité à attendre pendant qu'il terminait son bol. Son visage avait changé quand Simon lui avait discrètement montré le dessin, sans que les adultes le voient. Mathieu s'était enfui dans sa chambre, visiblement terrifié, en oubliant ses céréales qui eurent tôt fait de ramollir dans leur lait. Il mit longtemps à revenir, comme s'il avait voulu gagner du temps.

Une fois dehors, Simon avait annoncé qu'il voulait aller voir l'arbre. Mathieu l'avait suivi à reculons. Il traînait maintenant derrière, faisant exprès pour les ralentir.

Simon déposa son vélo en bordure de l'herbe longue qui ceinturait le Chaudron. Les fougères fouettèrent ses jambes avant même que Mathieu n'ait eu le temps de descendre de sa bicyclette. Pas à pas, Simon avança vers l'arbre, ne le quittant pas du regard. Après chaque clignement de paupières, il s'assurait qu'aucun rictus maléfique n'était apparu sur le tronc.

L'écorce restait intacte, mais Simon ne se sentait pas en sûreté pour autant. Autour de sa tête, un essaim de mouches bourdonnait. Il y en avait tellement qu'il entendait à peine Mathieu lui crier de rebrousser chemin.

Malgré les exclamations de son ami, Simon avançait toujours vers le grand végétal. Il s'efforçait de ne pas baisser le regard et de ne pas se laisser déconcentrer par les insectes qui dansaient autour de sa tête.

Quand il parvint enfin à proximité de l'arbre, il posa une main hésitante sur son tronc. L'écorce frémit sous ses doigts. Dans ses oreilles, le bourdonnement se fit plus intense, couvrant totalement les cris de Mathieu et le bruissement du vent dans les feuilles.

Simon sentit des picotements sur sa tête, comme s'il commençait à pleuvoir. Pourtant, le ciel était toujours aussi bleu, du moins, s'il se fiait à ce qu'il en voyait au travers des branches. Le jeune garçon passa une main dans ses cheveux pour chasser les mouches qui le harcelaient. Ses doigts en firent tomber de petites particules, comme si son passage sous le couvert des arbres avait permis aux branches de saupoudrer sur lui des fragments de feuilles mortes. Cependant, il n'en fit pas de cas.

Son attention était surtout portée sur l'arbre, qu'il contournait maintenant afin de mieux comprendre comment une plante pouvait le terrifier autant. Il examina sa conformation, son écorce, ses branches courtes et difformes qui bougeaient dans le vent, ainsi que le réseau sinueux formé par ses racines.

Simon chassa encore une fois les insectes qui formaient un nuage autour de lui. L'espace d'un instant, le bourdonnement se tut et il put enfin entendre les hurlements de Mathieu qui l'exhortait à s'éloigner de l'arbre.

Il n'y avait pas de vent.

Simon jeta un regard rapide aux végétaux qui ceinturaient la clairière. Aucun mouvement. Aucune agitation des feuilles en raison de la brise. Il sentit la terreur naître dans son ventre, une fébrilité malsaine, qui lui donna l'impression que ses entrailles se liquéfiaient.

Il fit un pas vers l'arrière, puis un second. Son torse pivota vers Mathieu qui semblait encore plus paniqué que lui. Soudain, il mordit la poussière. Son pied s'était empêtré dans une racine qui saillait de la terre.

Les doigts de Simon grattèrent le sol alors qu'il battait des jambes pour se libérer. Des mauvaises herbes lui lacéraient le visage. Il put se dégager du piège et se remettre debout. Ses pieds s'emmêlaient dans les plantes piétinées. Les quelque dix mètres qui le séparaient de Mathieu lui semblèrent interminables à franchir.

Mathieu s'enfuyait déjà quand Simon enfourcha son vélo. Il jeta un dernier regard derrière lui. L'espace d'un instant, il crut que l'arbre lui adressait un sourire menaçant, comme s'il lui faisait la promesse de l'attraper pour le dévorer. Simon se mit à pédaler. Il ne rattrapa Mathieu qu'à l'orée de la forêt.

Chapitre 5

Les deux garçons couraient à côté de leur vélo. À la sortie de la forêt, ils avaient dû en descendre pour enjamber une clôture barbelée. Habituellement, Mathieu traversait un peu plus loin, là où les fils de fer munis de pointes avaient été coupés ; mais après leur rencontre avec l'arbre, ils voulaient rentrer à la maison par le chemin le plus court.

Périodiquement, Mathieu jetait un œil furtif sur la forêt. Aussi nerveux, Simon ne pouvait pas s'empêcher de regarder lui aussi. Il se trouvait idiot. L'arbre ne pouvait quand même pas les suivre. Ce n'était qu'un arbre, au fond. Leur imagination pouvait leur faire croire bien des choses, mais un arbre restait un arbre, avec ses racines bien ancrées dans le sol.

Arrivé derrière chez lui, Simon prit les devants pour ouvrir la porte de la clôture qui ceinturait le terrain. Il laissa entrer Mathieu, puis la referma.

Les garçons laissèrent choir leurs vélos sur le gazon. À l'abri de la clôture, à l'ombre du bungalow bleu et blanc, séparés de la forêt par un champ cultivable laissé en friche, ils se sentaient en sécurité.

— Tu l'as vu comme moi, dit Mathieu. L'arbre a bougé. Il a essayé de t'attraper !

La respiration du garçon s'était accélérée juste à en parler. Dans sa voix, la peur était presque palpable. Simon resta muet un instant devant son ami qui l'observait, les yeux un brin exorbités. Que dire pour le rassurer ? Simon aussi ressentait une grande inquiétude, il en avait mal au ventre : un arbre pouvait-il bouger sans qu'il y ait du vent ?

— Peut-être, admit-il finalement.

— Peut-être ? Tu l'as vu comme moi ! Il t'a même attrapé les jambes !

Mathieu se renfrogna. Simon soutint son regard. Il percevait la colère de son ami. Ce dernier avait-il l'impression de revivre ce qui s'était passé avec Luc ? Avait-il peur que l'histoire se répète ? L'expression du visage de Mathieu changea soudainement quand ses yeux se posèrent sur les épaules de Simon. L'inquiétude remplaça la colère.

— Qu'est-ce qu'il y a ?

Mathieu prit un instant avant de répondre, tétanisé. Il recula de quelques pas en levant la main :

— Il y a des bibittes sur toi.

Simon porta ses mains à ses épaules, puis à ses cheveux. Ses doigts rencontrèrent des petites boules dures et froides. Il sauta sur ses pieds et se secoua. Il sentit les particules glisser de sa tête et de ses épaules et frôler son visage, avant de tomber au sol. Il cessa de se trémousser uniquement lorsqu'il ne palpa plus rien dans ses cheveux. À ce moment, il se trouva ridicule. Sur le gazon reposaient de petites boules brunes. Ce n'étaient pas des insectes, mais plutôt des semences d'arbre : des sphères couvertes de spicules, qui n'avaient rien en commun avec les samares ou les pommes de pin.

Il en prit une entre ses doigts et l'inspecta. Rien de bien terrifiant. Il la tendit à

Mathieu pour qu'il y jette un coup d'œil. Ce dernier refusa d'y toucher, craintif.

— Ça vient de l'arbre.

Simon toisa son ami. Il hésitait entre rire de lui et se taire. Il comprenait que Mathieu puisse avoir peur de l'arbre, mais craindre une simple semence ! Avant qu'il ne puisse décider de l'attitude à adopter, le ciel s'obscurcit brusquement. Ça s'était passé si vite et il avait été si absorbé par sa discussion avec Mathieu qu'il n'avait pas remarqué que le temps s'était couvert. Les nuages étaient tellement noirs qu'il faisait presque nuit. Simon en eut la chair de poule. Le mercure avait rapidement baissé.

— Il va pleuvoir.

Comme pour confirmer ce qu'il venait de dire, une goutte de pluie s'aplatit sur son nez. En arrière-plan, le tonnerre se mit à gronder.

— Je vais rentrer, annonça Mathieu. Ma mère n'aime pas que je reste dehors quand il pleut.

Avant que Simon n'ait eu le temps de protester, Mathieu grimpa sur son vélo.

Simon n'avait même pas pu lui proposer de rentrer jouer à des jeux vidéo. Il jouerait seul, alors. En rangeant sa bicyclette dans le cabanon, il comprit que Mathieu n'était pas parti en raison de sa mère, mais parce qu'il était terrifié.

L'orage qui s'approchait et l'ombre de la forêt incitèrent Simon à courir pour se mettre à l'abri dans la maison.

Chapitre 6

Simon fuyait à travers la forêt. Seule la lueur de la lune, perçant à peine le feuillage, lui permettait de s'orienter dans le labyrinthe sylvestre qui menaçait de l'engloutir.

Il regarda derrière lui.

C'était l'obscurité totale. Il ne voyait rien, pas même l'éclairage subtil des étoiles qui aurait pu illuminer les feuilles froissées par le vent. Mais il sentait l'ombre fondre sur lui. Il avait beau courir, elle le rattrapait. Sa présence était de plus en plus perceptible.

Alors, il courut plus vite, s'orientant du mieux qu'il le pouvait entre les arbres et les broussailles. Il essayait de se rappeler pourquoi il se trouvait dans cette forêt en pleine nuit, alors qu'il la savait hantée.

Tout ce qui lui venait en tête, c'était l'image des bras noueux, d'une longueur démesurée, qui tentaient de l'agripper de leurs mains griffues. Il sentait ces impitoyables serres tout près de lui, prêtes à le faire trébucher, à le traîner dans les feuilles mortes, à lui fracasser le crâne contre les pierres.

Les doigts de l'arbre s'enroulèrent autour de sa jambe, lui faisant perdre l'équilibre. Des arbustes lui fouettèrent le visage. Son genou heurta une roche. Simon cria, mais il oublia vite sa douleur. Il oublia même le sang qui coulait non seulement de l'écorchure sur sa rotule, mais des égratignures qui lui striaient le visage. Les gouttelettes suivirent l'arête de son nez, avant de descendre le long de son menton, jusqu'à rougir son t-shirt. Il ne voyait que l'ombre de l'arbre maléfique qui le dominait, ses simulacres de mains qui se posaient sur ses épaules, son inexplicable bouche, qui l'engouffrerait en un battement de cœur.

Et ses racines.

Qui maintenaient ses membres immobiles, rendant impossible toute forme de résistance.

L'une des branches de l'arbre se posa sur sa bouche pour l'empêcher de crier.

Simon se surprit à penser que l'écorce était douce, même si c'était la peau du monstre.

Sa voix aussi était douce. Inquiète, même.

— Simon. Tu fais un mauvais rêve.

La voix de sa mère ? Bien sûr que c'était sa mère !

Simon repoussa les couvertures qui collaient à sa peau en sueur. La silhouette bienveillante se découpait dans la pénombre de sa chambre, rassurante.

— Ça va, souffla-t-il, la voix enrouée, le cœur battant toujours à un rythme effréné.

Ce n'était qu'un cauchemar.

Simon attendait la suite. Le moment où sa mère lui dirait de ne plus jouer à des jeux vidéo épeurants avant de se coucher. Elle se contenta plutôt de l'embrasser sur le front.

— Bonne nuit, dit-elle, avant de sortir.

Simon replaça ses draps, puis se coucha sur le côté. S'il s'endormait assez vite, peut-être oublierait-il son envie d'uriner.

C'était peine perdue. Alors que son corps se détendait et qu'il sentait le sommeil le gagner, la sensation de pression dans sa vessie le réveilla comme une sonnette d'alarme. Simon devait se faire à l'idée : il lui fallait aller à la salle de bains. Il se redressa et s'assit sur le bord de son lit. L'espace d'un instant, il se trouva chanceux que la peur ne lui ait pas fait faire pipi au lit. Son envie devenait toutefois de plus en plus pressante.

Cependant, il n'alla pas aux toilettes tout de suite. Un bruit piquait sa curiosité. Au début, il n'y avait pas porté attention, croyant que c'était la pluie qui tambourinait sur le toit de la maison. Maintenant qu'il était debout, il prenait conscience que le son n'était pas aussi régulier que celui produit par une averse.

Il alla donc à la fenêtre pour vérifier son hypothèse.

Rien. Pas de pluie.

Simon scruta les ténèbres pour découvrir la cause de l'étrange martèlement rythmé. L'obscurité était dense, car les nuages voilaient la lune et les étoiles. Simon voyait à peine le cabanon au fond de la cour. Il devait faire preuve d'imagination pour distinguer la lisière de la forêt, un peu plus loin. Malgré cela, une forme plus sombre encore que le reste lui semblait perceptible à travers les arbres. Cette forme ressemblait à une silhouette maléfique, aux bras griffus et anguleux, qui l'épiait. Un réseau labyrinthique de branches et de ramifications qui, dans l'esprit de Simon, déchiré entre son envie d'uriner, son besoin de sommeil et la peur viscérale qu'il ressentait, symbolisait une indicible malveillance.

Simon resta planté là un moment à jauger une présence qui, se disait-il, était forcément une continuation de son cauchemar. Ce fut la sensation d'humidité dans son pantalon mouillé par quelques gouttes d'urine qui le secoua et le força à détacher son regard de l'ombre tapie à l'orée de la forêt.

Quand il revint de la salle de bains, il ne put s'empêcher de regarder dehors. À son grand soulagement, il ne perçut aucune trace de la silhouette qu'il avait cru deviner quelques minutes plus tôt.

Une fois sous l'édredon, il mit du temps à se rendormir. Il craignait de faire à nouveau un cauchemar. Et il entendait toujours cet étrange crépitement qui ne présageait rien de bon.

... tic, tic, clac... tic, tic, clac...

Chapitre 7

Simon fouillait dans le cabanon à la recherche de la glissade d'eau. Avec les rénovations à faire dans la maison, son père n'avait pas eu le temps de ranger leurs affaires.

Simon enjamba la tondeuse pour poursuivre ses recherches. Ses gougounes faisaient clac, clac sur le plancher de bois, dont la peinture grise s'écaillait en plusieurs endroits. Il avait hâte de s'élancer sur la toile bleue, mais il était aussi content de pouvoir s'abriter un instant : le soleil plombait fort ce jour-là.

Après plusieurs minutes, il trouva enfin ce qu'il cherchait : une boîte colorée arborant le visage d'un garçon au sourire fendu jusqu'aux oreilles. Il dut grimper sur des caisses empilées de façon précaire pour l'atteindre.

Quand il sortit du cabanon, Mathieu entrait dans la cour avec son butin. Pieds nus dans ses espadrilles, il ne portait qu'un maillot de bain.

À la vue de son ami, Simon brandit la boîte :

— Je l'ai trouvée !

Mathieu lui répondit avec un large sourire :

— Oh oui ! Ça va faire du bien, il fait tellement chaud !

Les garçons déballèrent le jeu et le déroulèrent sur la pelouse. Simon sortit le boyau d'arrosage et le vissa sur la glissade. Depuis le temps qu'il rêvait d'essayer ce cadeau qu'il avait reçu quelques années plus tôt de la part d'une amie de ses parents, qui n'avait pas songé qu'à leur ancien appartement, il n'y avait pas de place pour de telles activités. Excité, Simon tourna le robinet. Un jet d'eau s'échappa des gicleurs et inonda la toile.

Sans même prendre le temps d'enlever ses sandales, Simon s'élança et se projeta sur la toile à plat ventre. Son corps glissa à une vitesse folle sur la surface mouillée. Il poussa un cri de bonheur en se relevant. L'odeur du plastique amplifiait son plaisir estival. Il reprit un nouvel élan.

Le sourire mourut sur ses lèvres. En voulant aller trop vite, il s'accrocha les pieds et dérapa sur la toile, faisant une pirouette qui le fit atterrir dans le gazon.

Mathieu courut vers lui.

— Ça va ?

Simon mit un instant à répondre.

— Oui, oui. C'est correct.

Simon se releva avec peine. Sans même examiner ses blessures, qui se résumaient à quelques taches de gazon sur sa peau, il revint sur ses pas pour examiner l'herbe. Avait-il trébuché sur des pierres cachées par la pelouse ? Il pensait déjà à ce qu'il dirait à son père, qui n'avait pas fait attention en transportant du gravier avec sa brouette. Lui qui le grondait pour le moindre caillou laissé sur le gazon, affirmant que c'était dangereux pour sa tondeuse neuve.

Pourtant, Simon ne trouva rien de tel. Il découvrit plutôt, nichées entre les brins d'herbe, des petites pousses courtes et raides, qui lui firent étrangement penser aux racines cadavériques d'une plante desséchée. Il s'accroupit pour mieux les observer.

— C'est quoi? demanda Mathieu en se penchant près de son ami.

— Aucune idée. On dirait des petits arbres.

Les garçons observèrent les semis plus attentivement, mais ils n'arrivèrent pas à identifier de quoi il s'agissait. Ni l'un ni l'autre n'avait déjà vu une telle plante.

Simon se leva pour ratisser le reste du terrain. Il constata que le phénomène se concentrait en un endroit précis. Il se souvint des bruits étranges de la veille et, en rétrospective, cela lui rappela un documentaire où l'on montrait la croissance d'une plante en vitesse accélérée. La bande sonore de l'émission s'apparentait à ce qu'il avait entendu la nuit précédente.

Alors qu'il tentait de remettre de l'ordre dans ses pensées et de chasser cette terreur diffuse qui lui donnait froid dans le dos, Mathieu prononça les mots qu'il ne voulait pas entendre :

— Il y en a juste là où tu t'es secoué hier.

Simon regarda Mathieu en silence. Quand il parla, ce fut pour donner raison à son copain, mais à contrecœur. Cependant, il ne fit pas qu'acquiescer, il proposa aussi un plan d'action :

— Pour en avoir le cœur net, il faut retourner voir l'arbre.

Mathieu se renfrogna.

— Non. Je n'y retourne pas.

Ses traits durcis montraient qu'il était résolu. Simon savait qu'il n'arriverait pas à le convaincre. Lui aussi avait peur, mais sa curiosité était plus forte encore. Il devait absolument aller voir. Quand même, les mots que prononça Mathieu le firent hésiter :

— Je ne veux pas finir comme Luc...

Simon ne savait pas quoi répondre. Il se rendait maintenant compte à quel point ce qu'il voulait entreprendre était dangereux. Si leur peur était fondée, il jouait gros en retournant là-bas. Surtout si Mathieu ne l'accompagnait pas. Mais quel était le risque s'ils ne faisaient rien ? Le danger serait-il plus grand ? Simon soutint le regard de Mathieu.

— S'il le faut, j'irai seul. On va s'habiller. Si tu n'es pas revenu dans dix minutes, je pars sans toi.

Mathieu lui attrapa le bras, alors qu'il se détournait pour rentrer dans la maison :

— Attends à demain, O.K. ? On va y aller demain.

La colère envahit Simon. Le manque de courage de son copain l'irritait au plus haut point. D'un geste brusque, il se défit de sa poigne en l'implorant du regard.

— Il faut nous préparer avant d'y aller. Sinon, il va nous bouffer. Comme Luc...

Simon hésita. Il était déchiré entre son orgueil, sa curiosité et l'argument que lui présentait Mathieu. Se préparer... Ce n'était pas une mauvaise idée. Au contraire, c'était même un conseil judicieux. Simon fronça les sourcils, tandis qu'il réfléchissait. Mathieu renchérit :

— S'il te plaît...

Simon acquiesça finalement. Dans sa tête, les idées défilaient à toute vitesse. Comment affronter un arbre monstrueux ? En le coupant avec une tronçonneuse ? En l'aspergeant d'essence pour y mettre le feu? En l'exposant à des produits toxiques contre les plantes? C'étaient toutes de bonnes idées, mais Simon ignorait si la créature qu'ils affronteraient était réellement ce qu'elle semblait être. Était-ce vraiment un arbre? Comment un tel monstre pouvait-il exister? Pour avoir une chance de vaincre leur ennemi, ils devaient en apprendre plus sur lui. À sa connaissance, une seule personne en savait plus qu'eux sur l'arbre.

Le seul problème, c'était que Luc était mort.

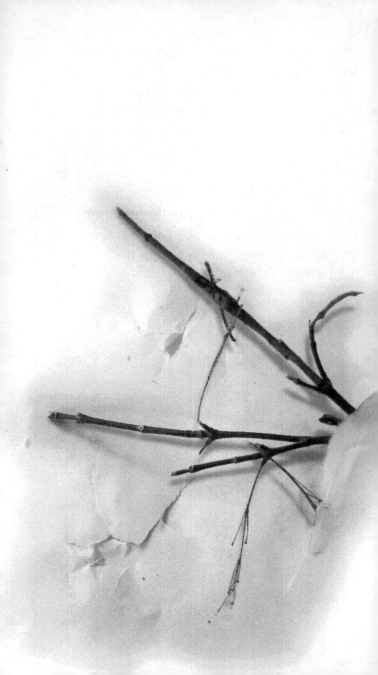

Chapitre 8

Assis sur une des marches de la galerie avant de sa maison de style canadienne, Simon jouait avec une branche cassée en attendant son ami. Au loin, il vit Mathieu sortir de chez lui avec une boîte rectangulaire sous le bras. Ça avait été difficile de le convaincre d'emprunter le jeu de Ouija de sa grande sœur, mais à force de le supplier, il avait fini par accepter.

Le garçon courait vers Simon en regardant régulièrement derrière lui. Avait-il peur d'être pris la main dans le sac ? En tout cas, les excuses que Mathieu lui avait servies n'avaient pas convaincu Simon. Un jeu de plateau ne pouvait pas être aussi dangereux que Geneviève le prétendait. Elle disait cela juste pour que son frère arrête de lui demander de le lui prêter. De son côté, Simon s'en voulait un peu d'avoir tant insisté.

— Ma mère ne veut pas qu'on joue à l'intérieur. Elle dit qu'il fait trop beau pour s'enfermer entre quatre murs.

— Zut, la chambre de Luc aurait été...

— *Ma* chambre.

— Ouais, ta chambre aurait été le meilleur endroit pour faire ça. À cause des... énergies ré-si-du-elles.

Simon fronça les sourcils. Mathieu n'avait pourtant pas l'air de s'intéresser particulièrement au paranormal. En voyant le regard interrogateur de son vis-à-vis, il s'expliqua :

— C'est ma sœur. Elle passe son temps à parler de vies antérieures, d'astrologie et d'autres idioties du même genre.

— Où va-t-on pouvoir s'installer, alors ?

Mathieu déposa la boîte sur la galerie et s'assit près de Simon. Ils restèrent silencieux quelques instants à contempler les vieilles lattes de bois. Les doigts de Simon arrachaient des languettes de peinture pour ensuite les broyer en petits morceaux.

— On pourrait faire ça ici ?

Simon soupesa la question :

— Ça serait mieux une place plus tranquille. Tu pourrais demander à ta mère ?

— Non! Ma sœur va se rendre compte que j'ai pris son Ouija.

— Je sais, mais...

Simon se tourna vers la boîte pour l'examiner. Son contenu était fort simple : un tableau de jeu avec les vingt-six lettres de l'alphabet, les chiffres de zéro à neuf et les mots « oui » et « non ». Il y avait aussi un objet, la goutte, qui servait à pointer les lettres censées former des mots que les esprits voulaient articuler. Mais aucune trace du manuel d'instructions. Simon soupesa la planchette. Elle était légère. À la lueur du jour, elle ressemblait à un simple jouet de plastique. Il la replaça dans la boîte et dit à Mathieu :

— C'est stupide de toute façon.

— Non, ma sœur a juré qu'elle avait réussi à parler à mon arrière-grand-mère, puis à la Dame Blanche, un fantôme dont ils parlaient dans un livre. Elle ne les connaissait même pas et elle se trouvait très loin du lieu de leur mort. C'est sûr que ça va marcher avec Luc. Surtout si on s'installe dans un emplacement où il aimait aller...

Mathieu bondit soudainement sur ses jambes.

— Je sais! Je sais! Oh oui! c'est parfait! On va aller derrière le cabanon de chez Marine. On allait tout le temps là avec Luc.

Cet endroit était tout près. Il se situait en bordure de la forêt, pas du côté de l'arbre, mais juste derrière la maison située en face de chez Simon. Mathieu lui avait déjà confié que deux filles et un garçon habitaient là. La plus grande, Marine, avait presque leur âge. Les deux autres étaient plus jeunes; ils étaient donc sans intérêt. Simon devait se fier à son ami à ce sujet, car il n'avait pas encore eu l'occasion de faire la connaissance de ses voisins, partis en vacances avant qu'il n'emménage. Simon avait hâte de les rencontrer. Mathieu semblait particulièrement apprécier leur compagnie.

Les garçons traversèrent la rue au pas de course. Les deux maisons devant chez Simon étaient séparées par un terrain vague qui permettait à l'autobus scolaire de rebrousser chemin. La rue du Lac-Frisson, un cul-de-sac, était pourvue de pareils espaces en trois endroits : au bas de la rue, en face de chez Simon, et juste avant la clôture de métal qui bloquait l'accès à la route de terre menant à l'ancienne colonie de vacances, au lac Frisson et à une mine à ciel ouvert. Simon mourait d'envie de visiter tous ces lieux dont Mathieu lui avait parlé, mais l'urgence de combattre l'arbre l'avait forcé à reporter ces excursions.

L'entrée de gravier se muait rapidement en un champ d'herbes longues, puis en un sentier qui suivait la bordure de la forêt. Un large fossé délimitait le terrain de la famille de Marine, qui s'avérait deux fois plus grand que celui de chez Simon ; ce dernier apercevait des balançoires, une piscine hors terre et une cabane de bois chez sa nouvelle voisine.

Mais l'espace derrière leur cabanon était encore plus fascinant.

Entre les hautes herbes, tout près de la forêt, il y avait une dalle de béton presque aussi grande que son carré de sable. L'endroit était caché par la végétation et par le cabanon, ce qui donna l'impression à Simon d'être à l'abri des regards indiscrets. Malgré le soleil qui plombait, le ciment était frais, puisqu'il était protégé par l'ombre des arbres.

— C'est vraiment bien ! On va être tranquilles ici.

— Tant que personne ne passe dans le sentier, on est corrects.

— Bon, O.K., on commence !

Mathieu ouvrit la boîte et installa le dispositif de spiritisme. Il expliqua ensuite la marche à suivre à son ami.

— C'est facile, on place tous les deux nos doigts sur la goutte et on pose des questions.

— Je sais comment ça marche. C'est toi qui connaissais Luc : appelle-le.

Les garçons se mirent en position. Simon hocha la tête pour indiquer à Mathieu de commencer.

— On veut parler à Luc... S'il te plaît, Luc, viens parler avec nous.

Les garçons restèrent immobiles à attendre. L'espace d'un instant, un nuage fugace éclipsa le soleil. Simon sentit la fraîcheur de la brise sur ses bras, mais le soleil revint vite le réchauffer. Sur le plateau, il ne se passait rien.

— Luc, es-tu là ?

Simon ferma les yeux un instant. Il se concentra sur le nom de Luc. Il aurait bien voulu s'en former une image mentale, mais il ne le connaissait pas. Quand il ouvrit les yeux, il remarqua que le pointeur avait bougé. Il s'était immobilisé en dessous du mot « Non ». Devant Simon, Mathieu restait interdit. Sa voix tremblait quand il parla enfin.

— Qui est là ?

Seul le bruissement des feuilles brisait le silence. Lentement, la goutte se déplaça jusqu'à la lettre « M ». Mathieu et Simon se regardèrent un instant avant de reposer leurs yeux sur le jeu, où le pointeur s'arrêtait sur « A ». Simon éclata de rire.

— Tu te moques de moi! C'est toi qui pousses! Tu vas écrire Mathieu!

Mathieu agita la tête :

— Ce n'est pas moi.

Au même moment, la goutte s'immobilisa sur la lettre « L ».

— Ce n'est pas moi non plus, déclara Simon. M, A, L. Mal.

Le dispositif se déplaça si vite vers le mot « Oui » que les doigts de Mathieu ne le suivirent pas. Surpris, Simon lâcha prise lui aussi. Le mouvement ne s'arrêta pas pour autant. Successivement, les lettres « T », « U », « E » et « R » furent désignées.

Mathieu se leva d'un bond et recula d'un pas. Ses bras décrivirent des moulinets quand il tomba à la renverse dans les broussailles. Il avait perdu pied en marchant dans le vide. Simon se redressa pour le secourir. Dans son empressement, il ne prit pas le temps d'enjamber le plateau de Ouija. La planchette craqua sous son soulier. Mathieu hoqueta de surprise. Simon ignorait s'il s'agissait de terreur ou de soulagement.

Simon aida son ami à se lever. Ils ne prirent pas la peine de ramasser le jeu. Il était fichu de toute façon. Aucun des garçons ne dit un mot avant de rentrer chacun chez lui. Ils se contentèrent de s'envoyer la main.

Simon entra en douce dans la maison et alla dans sa chambre. Si sa mère l'entendait, elle le sommerait de sortir jouer dehors. Il se coucha sur son lit pour réfléchir. Il ne pouvait s'empêcher de penser à l'arbre. Si la créature pouvait s'adresser à eux par le biais d'une planche de Ouija, peut-être était-elle plus forte qu'il ne l'avait imaginé...

Chapitre 9

Simon se réveilla au milieu de la nuit, le cœur battant. Il avait encore rêvé à l'arbre. La sensation des racines enserrant sa gorge demeurait vive. Il resta couché plusieurs minutes à reprendre son souffle et à se convaincre, difficilement, qu'il était en sécurité dans sa chambre. La pluie battante qui avait martelé le toit de sa maison s'était calmée et on n'entendait plus qu'un faible crépitement. Il était étrange, ce climat estival, où les journées caniculaires et ensoleillées succédaient aux nuits d'orage.

Simon fixait le plafond gris dans la pénombre. Il essayait de ne pas penser aux événements de la journée, car au milieu de la nuit, leur séance de spiritisme semblait encore plus terrifiante.

... tic, tic, clac...

Ce n'était pas la pluie. C'était le même son que la veille. Un craquement plutôt que les impacts successifs de gouttelettes sur la toiture. Non sans appréhension, Simon se leva pour aller à la fenêtre.

Il faisait très noir. Le ciel était anthracite. Les nuages occultaient toujours la lune et les étoiles. On ne voyait ni la forêt ni la clôture au fond de la cour. Pourtant, Simon avait l'impression qu'une ombre bougeait. Pas dans la forêt, mais au fond du terrain. Il se concentra sur l'obscurité. C'était peine perdue ; il ne distinguait rien de sa chambre. Malgré la crainte sourde qui grandissait dans son estomac, comme un mal de ventre discret, mais omniprésent, la curiosité l'incita à sortir voir ce qui se passait réellement dans la cour.

En caleçons à carreaux et vêtu d'un simple t-shirt, il ouvrit doucement la porte-fenêtre. Au passage, il attrapa le parapluie que sa mère avait laissé sécher près de la porte. La pointe métallique de l'objet brillait dans la nuit.

La galerie de bois était encore mouillée. L'eau froide était saisissante pour ses pieds nus.

... tic, tic, clac...

Simon songea à enfiler ses sandales, mais le bruit se faisait plus fort à l'extérieur et il sentait l'urgence d'aller découvrir ce que c'était.

... tic, tic, clac...

Il descendit les marches de la galerie en faisant attention de ne pas glisser. Lorsqu'il fut en bas, l'herbe humide caressa ses chevilles. Il avança lentement vers le fond de la cour. Petit à petit, il discernait un peu mieux les ombres qui bougeaient sur le sol. Cependant, même si ses yeux voyaient un peu plus clairement ce qui se passait, son esprit n'arrivait pas réellement à comprendre de quoi il s'agissait.

... tic, tic, clac...

Une forme mince et allongée s'extrayait du sol. Son corps ramifié lui donnait l'allure d'un phasme, cet insecte au corps ressemblant à une longue branche, un brin humanoïde. Des bras, des jambes, un corps filiforme, une tête frêle sans yeux, mais avec une bouche démesurément grande pour sa taille. La créature ne devait pas mesurer plus de vingt centimètres. C'était un arbre miniature. Une pousse, ou plutôt, une douzaine de pousses s'extirpaient de la terre, là où Simon avait senti des protubérances sur le sol. Il réprima un cri. Le gazon, sous ses pieds, lui inspira instantanément du dégoût.

Et s'il marchait sur les créatures ?

Et si elles l'attaquaient par en dessous ?

Simon ne pouvait pas rester en place. Toute cette végétation lui donnait envie de déguerpir en vitesse. S'emmurer, à l'abri dans la maison, pour ne plus en sortir. Appeler son père, sa mère. Les implorer de déménager. De retourner en ville, là où il n'y a que du béton et des arbres asphyxiés par la pollution. Mais la curiosité de Simon avait toujours été plus forte que sa peur.

Ses mains empoignèrent le parapluie comme s'il s'agissait d'un bâton de base-ball. Sans même y penser, il s'élança vers les créatures qui sortaient du sol et qui semblaient elles-mêmes vouloir fuir. Il les frappa une à une. Chaque craquement de branches représentait une petite victoire. Simon tournoyait dans l'obscurité en tâchant de frapper les arbrisseaux. Des brindilles se fichaient dans ses pieds, leurs extrémités pointues perçant sa chair. Il s'efforçait de faire abstraction de la douleur, se contentant de frapper et de détruire les monstres qui tentaient de lui échapper.

Quand Simon cessa enfin sa danse guerrière, il recula de quelques pas. Au

loin, il entendait le faible craquement des créatures qui avaient survécu. Elles étaient presque parvenues à la forêt. Elles allaient rejoindre leur maître.

Simon scruta le sol pour s'assurer qu'il était en sécurité. Le gazon était jonché d'éclisses. S'il n'avait pas su de quoi il retournait, il n'aurait pas pu affirmer qu'il s'agissait de cadavres d'arbres maléfiques miniatures. En gros, il estima qu'il avait réussi à tuer au moins la moitié des petits êtres démoniaques. Il en restait donc quelques-uns, qui patienteraient dans les bois en attendant de se débarrasser de lui à la première occasion. L'impression qu'une force malveillante le traquait depuis la forêt l'incita à rentrer discrètement dans la maison.

Avant de retourner dans son lit, il s'enferma dans la salle de bains pour nettoyer ses pieds. Ils saignaient en quelques endroits, mais les blessures ne semblaient pas sérieuses. Il utilisa la pince à épiler de sa mère pour retirer quelques échardes plus coriaces. De retour dans sa chambre, il s'allongea, le dos calé contre quelques oreillers, afin de prendre des notes. Dans un cahier, il voulut consigner ses impressions et ses idées quant à la nature véritable de l'arbre, et ébaucher un plan pour en venir à bout. Pourtant, quand il fut bien installé, il n'écrivit que quelques mots. Sa fatigue le rattrapa : malgré ses craintes et l'excitation qu'il ressentait encore en raison de son combat, il sombra bientôt dans le sommeil.

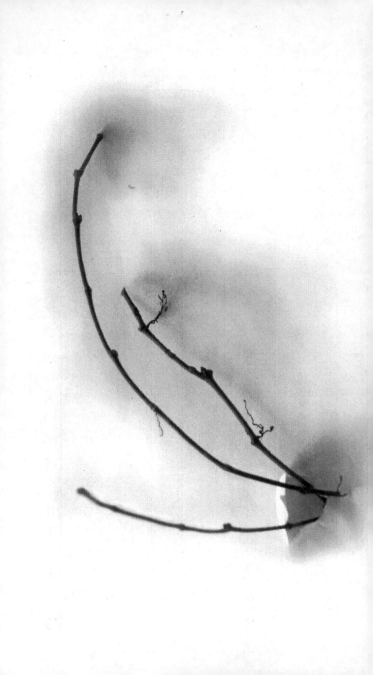

Chapitre 10

— Il est dix heures. Lève-toi !

Simon ouvrit les yeux au moment même où sa mère tirait les rideaux. Aveuglé par le soleil, il se cacha sous les couvertures.

— Allez, paresseux ! Debout !

Sa mère sortit de sa chambre aussi vite qu'elle y était entrée. Simon resta étendu avec la couette rabattue sur son visage. Ça l'énervait quand sa mère faisait ça. Le réveiller uniquement parce qu'il était trop tard. Si elle avait su quel genre de nuit il avait passé, elle l'aurait laissé dormir. Ou peut-être pas. De toute façon, le mal était fait et il avait une journée chargée devant lui.

Quand son regard se fut accoutumé à la lumière, il sortit de son lit. Ses pieds lui faisaient encore mal. Ils étaient zébrés de rouge. Simon les observa un instant, fasciné par leur physionomie. Il ne semblait pas rester d'échardes. Contrairement à son habitude, il décida de s'habiller immédiatement. Après avoir fermé la porte de sa chambre, il enfila des pantalons cargos et un t-shirt. Il hésita un instant à mettre des chaussettes pour camoufler ses pieds meurtris, mais tout compte fait, c'eut été peu subtil en ce matin ensoleillé. Assis sur son lit, il remarqua le papier qui gisait au sol. Il songea à le ramasser plus tard, mais il décida plutôt de revoir ses notes de la veille.

Il ne se rappelait pas avoir autant écrit. En fait, il ne reconnaissait même pas son écriture. Un frisson lui traversa l'échine.

Il parcourut la feuille du regard. Recto. Verso. Tout était couvert de gribouillis dont il ne gardait aucun souvenir. Quand il se décida enfin à les lire, il remarqua qu'une seule phrase, répétée inlassablement, couvrait le papier.

« L'arbre n'est pas le vrai monstre. »

De tels mots annonçaient de sombres auspices. Simon les médita un instant. Il tentait de comprendre leur sens profond. Les avait-il écrits lui-même, ou bien était-ce

Luc — le fantôme de Luc — qui voulait l'avertir ? Sa réflexion fut interrompue par les cris de sa mère :

— Viens manger ! On part faire des courses dans dix minutes !

C'était donc ça qui la pressait tant. Simon regarda une dernière fois la feuille pour voir s'il ne trouverait pas d'autres indices. Alors qu'il allait la déposer sur son bureau, il remarqua que la dernière phrase différait du reste du texte.

« Le Mal est en dessous. »

Le Mal... Le Mal... Simon trembla malgré le soleil qui entrait par sa fenêtre orientée vers le sud-est. Il lâcha la feuille de papier qui piqua net vers le sol.

Le Mal.

Simon se précipita à la cuisine. Comment combattre un monstre dont on ignorait tout ? Il se servit un bol de céréales qu'il mangea en ruminant ses idées. Docilement, il suivit sa mère dans la voiture ; ils allèrent à la quincaillerie. Les choses à acheter se trouvaient aux quatre coins du magasin à grande surface. Grande surface ? Méga surface, plutôt. C'était plus grand qu'un terrain de football !

Pendant que sa mère s'intéressait aux jardinières, Simon remarqua une tronçonneuse, bien en vue au bout d'une rangée. Elle était petite. Il aurait pu la manier sans problème. Si seulement il avait pu acheter ce qu'il voulait sans que ses parents lui posent la moindre question. Une scie mécanique, ça aurait été la meilleure arme pour se défendre contre l'arbre : couper son tronc d'un bord à l'autre pour enfin s'en débarrasser. Celle de son père était trop grosse pour qu'il puisse s'en servir sans danger. Il contempla le reste de la rangée. Scies d'émondage, cisailles géantes, petites et grandes haches : l'attirail nécessaire pour venir à bout de tous les arbres était à la portée de la main. Il se souvint des camions géants qui servent à abattre les arbres dans le nord du Québec. Un long bras mécanique agrippe le tronc, puis le coupe avec une scie circulaire démesurée. Contre ça, les branches crochues de l'arbre n'auraient aucune chance.

Il soupira quand sa mère l'appela pour l'aider à transporter les plantes qu'elle avait choisies. Il songea au contenu du cabanon, aux outils de son père. Comment pourrait-il tirer profit de cet équipement rudimentaire ? Et si « le Mal était en dessous », peut-être qu'abattre l'arbre n'était pas suffisant. Il était perdu dans ses pensées quand sa mère lui intima de marcher plus vite.

— Dis donc, est-ce que ce sont les filles qui te travaillent autant ? Tu es dans la lune sur un temps rare !

Simon regarda sa mère avec dédain :

— Ça n'a rien à voir !

Sa mère esquissa un sourire en coin, mais elle ne le taquina pas davantage. Simon fit un effort pour ne pas traîner. Trop réfléchir le terrorisait.

Chapitre 11

Simon raconta d'une traite tout ce qui s'était passé depuis la nuit précédente. Mathieu l'écoutait, silencieux. Plus Simon parlait, plus son ami semblait affolé. Si ce dernier avait pu, il se serait enfoncé la tête dans le sable comme une autruche. Qu'est-ce qui lui faisait le plus peur ? Les arbustes vivants, les messages d'outre-tombe ou la perspective d'affronter l'arbre ? Simon l'ignorait. Il ne savait pas lui-même quel aspect de la situation l'effrayait davantage. Pour lui, une chose était certaine : ils devaient agir au plus vite. Pas la semaine prochaine. Pas demain. Tout de suite.

— On apporte des haches et on le coupe !

Mathieu le regarda sans bouger. Son visage était blanc comme de la glace à la vanille. Il semblait sur le point de dire quelque chose, mais sa bouche restait entrouverte.

— Il faudrait que tu ailles voir si ton père a des outils qui pourraient nous aider à le couper. Une grosse hache, une scie à chaîne...

— On n'a aucune chance.

Simon sentait la colère monter en lui.

— Tu m'as promis, hier, que tu viendrais avec moi. C'est bien plus dangereux si j'y vais tout seul.

— Je ne peux pas... Mon père ne veut pas que je prenne ses outils.

Simon fusilla Mathieu du regard. Comme il était froussard! Simon aussi avait peur, mais pour lui, le courage, c'était de passer par-dessus ses craintes. Il se sentait déterminé à agir comme les héros qu'il admirait tant. À ce moment, il aurait aimé faire un discours inspirant comme le ferait un vrai héros, mais il se sentait trop irrité. Les poings serrés, il tourna le dos à son ami et marcha vers sa maison.

— J'y
vais dans
une demi-
heure. Si tu n'es
pas là, j'irai tout seul.

Ce n'est que dans sa chambre, alors qu'il enfilait des jeans et un chandail de coton ouaté — la meilleure armure qu'il avait pu trouver — qu'il comprit qu'il était allé trop loin. Une fois habillé, il sortit sans se faire remarquer de sa mère. Avec la chaleur qu'il faisait dehors, elle aurait trouvé bizarre qu'il sorte ainsi vêtu. Il se terra dans le cabanon pour attendre Mathieu. Entre-temps, il jeta un œil sur les outils de son père. Il dénicha une vieille hache au manche de bois.

Finalement, il attendit plus longtemps que promis. Il espérait que Mathieu changerait d'idée, mais il dut se résoudre à combattre l'arbre seul. Comme pour retarder l'échéance, il décida d'y aller à pied plutôt qu'en vélo.

Au début, il marcha lentement, mais au fil de ses pas, il devenait de plus en plus résolu à affronter l'arbre, et il accéléra la cadence. Ses espadrilles foulaient le sol compact en produisant un bruit sourd, tout en soulevant la poussière. Il arriva au Chaudron le souffle court.

Ce qu'il y découvrit le laissa hésitant. Peut-être était-ce sa respiration saccadée ou encore la sueur qui lui piquait les yeux, mais il percevait un genre de flou autour de l'arbre. Comme si ce dernier avait été à la fois réel, tangible, et le fruit d'un simple mirage. Cependant, ce que Simon craignait le plus se trouvait à sa base : les racines du feuillu sortaient de terre comme des serpents de mer émergeant de l'eau. Simon savait que l'arbre n'avait pas cette allure la dernière fois. À tout moment, il lui semblait possible que les racines s'animent pour le saisir dans leurs torsades.

La sueur perlait toujours sur le front de Simon quand il se décida à avancer vers l'arbre. Il tenait la hache à deux mains, tel un talisman. Un coup de vent fit s'écarter des branches, comme pour lui ouvrir le chemin. Il lui sembla distinguer des lambeaux de tissus aux couleurs vives — un chandail des Canadiens? — comme une menace discrète... ou alors une invitation.

Simon prit à cet instant conscience de la stupidité de son plan. Comment pouvait-il défier pareille créature avec une simple hache? L'arbre était immense, il inspirait tellement la peur! Même une tronçonneuse n'aurait pu le vaincre. L'imbiber d'essence et y mettre le feu? L'enduire d'un produit chimique qui le tuerait par simple contact? Il regrettait d'avoir caché l'affaire à ses parents. Mais comment aurait-il pu les convaincre qu'un arbre maléfique les menaçait?

N'empêche que Simon demeurait bel et bien seul, à quelques mètres de l'arbre, tout près de la pente descendante qui le menait au centre du Chaudron, là où trônait l'ennemi. Il hésitait.

— C'est de la folie, murmura-t-il enfin.

Sans tourner le dos à l'arbre, il fit un pas en arrière.

C'est à ce moment que le monstre se mit en mouvement. Lentement, mais sans hésiter, les racines s'arrachèrent du sol, remuant la terre et faisant s'élever les gravats, la boue et les cailloux. Les craquements produits auraient glacé le sang du plus courageux des bûcherons. Le démon se hissa sur ses racines — ses pattes? — et s'éleva au-dessus du sol. Il sembla à Simon que sa cime atteignait celle des arbres bordant le Chaudron. On aurait presque pu l'apercevoir de chez lui.

Simon fit un deuxième pas vers l'arrière, puis d'autres encore.

L'arbre fit une enjambée au moins trois fois plus longue que la distance que venait de parcourir Simon. Quand il souleva ses autres racines pour une seconde foulée, le garçon pivota vers le sentier pour amorcer sa fuite. Il fléchit les genoux et décolla comme une fusée. Autant il courait vite, autant il sentait l'arbre se rapprocher.

Fou de terreur, Simon risqua un regard vers l'arrière. Des rameaux feuillus giflèrent son visage. L'arbre était tout près. Prêt à l'attraper. La peur lui fit monter les larmes aux yeux.

Il sentit que des racines tentaient de le faire trébucher. En les évitant, il faillit glisser dans une flaque d'eau. Il devait trouver une solution immédiatement : poursuivre sur ce sentier découvert le condamnerait.

Simon dévia de sa trajectoire et bondit à travers la forêt. Le couvert des arbres constituait peut-être sa seule chance de salut contre ce monstre sylvestre. Dès l'instant où il se trouva à l'ombre, la température baissa. Malgré la fraîcheur, ses vêtements humides collaient à sa peau.

Il courait sans s'arrêter, aussi vite qu'il pouvait slalomer entre les arbres, le visage lacéré par les griffes du monstre de la sylve. Ses bras se balançaient de part et d'autre de son corps, sa main serrant toujours la hache. Sans même s'en rendre compte, il évitait les troncs et bondissait par-dessus les roches et les buissons. Jusqu'à ce qu'il perde pied et s'écrase contre une vieille souche couverte de lichen.

Simon cria de douleur. Il fit d'intenses efforts et se roula pour s'adosser à la souche. Il scruta le feuillage à la recherche de l'arbre qui le poursuivait. Étant donné que sa vision était brouillée, l'enchevêtrement des branches et des feuilles se confondait. Il cligna des yeux et se frotta les paupières : il ne distinguait plus son adversaire dans la débâcle de la forêt. Il n'entendait rien non plus.

Rien.

Seule une silhouette floue semblait s'éloigner.

La respiration saccadée de Simon couvrait partiellement le craquement des branches. Ses mains serrèrent la hache encore plus fort. Puis, il entendit un cri aigu. Il eut du mal à déterminer la source du cri, mais il ne pouvait s'empêcher de penser qu'il s'agissait de Mathieu qui hurlait ainsi dans l'ombre du monstre penché sur lui. Autant la peur grugeait les entrailles de Simon, autant il ne pouvait abandonner Mathieu à cet enfer. L'adrénaline irrigua ses veines et lui redonna courage. Il rebroussa chemin sans faire de bruit, faisant fi de la douleur qu'il ressentait en raison de sa chute.

Chapitre 12

Mathieu était rentré chez lui avec une boule dans la gorge. Il se sentait coupable. Coupable de ne pas avoir convaincu Simon de laisser tomber son projet. Coupable de ne pas l'avoir accompagné. Il fut soulagé de voir sa mère occupée à faire le lavage. Elle ne lui porta pas attention quand il s'installa devant la télévision. Il zappa pendant trente minutes sans s'intéresser aux images. Complètement désabusé, il ne ressentait pas le profond malaise qui l'habitait parce qu'il avait laissé son ami se débrouiller seul. Afin de se changer les idées, il se leva pour se servir une sucette glacée faite maison. Il jura à voix basse : il n'arrivait pas à dégager le bâtonnet de son socle de plastique. Laissant couler l'eau du robinet sur le moule, il se torturait l'esprit à se demander ce qu'il aurait pu faire pour empêcher son ami de se lancer dans la gueule du monstre.

Il dégagea finalement la friandise congelée et sortit sur le patio pour la manger. Elle fondait à vue d'œil tellement il faisait chaud. Le sucre caressa ses papilles, mais ne le réconforta pas. Le froid lui sciait les dents. Comment avait-il pu laisser Simon tout seul? Peut-être n'était-il pas trop tard.

Mathieu lança la sucette sur la table. Il n'en resterait bientôt qu'une flaque rouge. Il bondit de sa chaise et dévala l'escalier. Il enfourcha son vélo et pédala à vive allure pour se diriger vers la maison de son ami. Il évita de justesse la petite Florence en trottinette et s'engagea sur la pelouse de Simon sans même descendre de bicyclette.

Simon n'était pas là.

Mathieu aurait pu vérifier dans la maison si son ami s'y trouvait, mais il savait que ce n'était pas le cas, puisque Simon était déterminé à affronter l'arbre. Mathieu fonça plutôt vers le Chaudron.

À toute vitesse, il pédala dans le sentier, son vélo roulant sur chaque roche sans qu'il s'en préoccupe. Les battements de son cœur menaçaient de faire exploser sa poitrine. Le chemin qui longeait le cimetière n'était pas bien long. Mathieu le parcourut en moins d'une minute. Il roulait si vite qu'il ne remarqua pas l'arbre en plein milieu du chemin. Ou, du moins, il ne l'aperçut qu'au dernier instant, moment où il se dit qu'il n'y avait pas d'arbre là, auparavant.

Le vélo de Mathieu le percuta avec une telle force que le garçon fut projeté de biais, à cinq mètres de l'impact. Il atterrit dans une flaque de boue qui amortit sa chute. De la vase engluait tout son corps ; il fut secoué de tremblements, mais ceux-ci n'étaient pas causés par l'eau croupie. C'étaient les branches griffues qui se penchaient sur lui qui lui glaçaient le sang. En voulant échapper à la créature, il s'affala davantage dans le bourbier ; c'était sans espoir.

Aveuglé par les larmes et la boue, Mathieu tenta de discerner la forme qui se tenait devant lui. Il ne voyait qu'une ombre confuse qui s'approchait inexorablement. Il essaya de se relever, mais il replongea une fois de plus dans la vase. Ses pieds et ses mains glissaient sans cesse, le forçant à faire du surplace.

Les branches de l'arbre n'étaient plus qu'à quelques centimètres de son visage.

Il ne se rendit même pas compte qu'il hurlait de terreur. Une prison de bois se referma sur lui, étouffant ses cris.

Chapitre 13

Simon traversait le sous-bois. Avec précaution, soucieux de ne pas être repéré, il enjambait les arbustes et les branches mortes. Les cris s'intensifièrent, le forçant à presser le pas. Quand les hurlements cessèrent, il paniqua. L'arbre avait-il tué Mathieu ? À cet instant, enfonçait-il ses racines dans son cadavre pour s'en nourrir ?

Les végétaux giflaient le visage de Simon, alors qu'il franchissait en vitesse les quelques mètres qui le séparaient encore du sentier. Quand il déboucha sur le chemin bordant le cimetière, il se figea de terreur. Les battements de son cœur cognaient dans ses tempes, masquant presque les craquements que faisaient les branches de l'arbre lorsqu'elles bougeaient. Il frissonnait en dépit de ses vêtements épais, gorgés de sueur.

Simon restait statufié devant la forme sylvestre qui engouffrait son ami. On aurait dit que toutes les branches de l'arbre s'étaient tournées vers le garçon pour l'avaler. Mathieu semblait pris dans un cocon de feuilles flétries.

Simon raffermit sa prise sur le manche de la hache.

L'arme haute, il se propulsa vers l'arbre pour sectionner ses branches à leur base. Il se rendit vite compte que la meilleure façon de combattre la créature sans s'exposer aux attaques des racines, c'était d'agripper ses membres pour grimper le long du tronc.

Simon frappa le monstre encore et encore. De sa main libre, il attrapa une branche du diamètre de son avant-bras. La hache la coupa et la fendit. Elle sectionna le bois et blessa l'arbre. Pour faire plus de dégâts, Simon se hissa un peu plus haut. Ses pieds trouvèrent un point d'appui sur les nœuds criblant le torse du géant, et de sa main libre, le garçon attrapa successivement les branches susceptibles de soutenir son poids afin de monter plus haut encore.

Simon sut que son attaque fonctionnait quand les cris de Mathieu se transformèrent en encouragements. Il redoubla d'ardeur et frappa toujours plus fort. Il sentit l'arbre bouger contre son corps, comme s'il s'était recroquevillé pour se faire une carapace. Des rameaux fouettaient le dos de Simon, mais il tentait d'ignorer la douleur que chaque coup amplifiait. Plus il frapperait l'arbre, moins ce dernier pourrait lui faire de mal. Simon croyait qu'il allait gagner, jusqu'à ce qu'il comprenne ce que lui criait Mathieu.

— Sauve-toi ! Il va te manger !

Entre deux assauts, Simon risqua un regard derrière lui. À travers un enchevêtrement de branches au cœur duquel il se débattait, il distingua la silhouette de Mathieu, à bonne distance.

Ce n'était pas normal. Ces branches qui faisaient écran n'étaient pas là plus tôt.

Simon prit peur et se donna un élan pour sauter le plus loin possible. Son corps fendit le mur de branches, dont les aspérités déchirèrent son pantalon épais pour atteindre sa peau. Simon hurla quand ses jambes restèrent emprisonnées entre les bras vindicatifs de l'ennemi. L'écorce rude enserrait maintenant ses mollets. Il se retrouva en suspension au-dessus d'une flaque de boue, puis un mouvement le rabattit contre le tronc de l'arbre. Un enchevêtrement de branches l'immobilisa aussitôt. Il tenta de se libérer à l'aide de la hache, mais il en fut incapable. Tout ce qu'il réussit à faire, ce fut d'échapper son arme.

Elle atterrit dans la flaque en contrebas. Simon entendit à peine le bruit des éclaboussures. Le garçon se débattait autant qu'il le pouvait, en vain. Les espèces de lianes se refermaient sur lui comme un étau. Les feuilles séchées pressaient sa bouche et ses yeux, bloquant sa vue et l'empêchant de respirer. Plus il se défendait, plus il sentait que sa capacité de mouvement diminuait.

Il était perdu. Simon se demanda ce qu'éprouveraient ses parents quand ils constateraient qu'il ne rentrait pas pour souper. Il imagina leur inquiétude parce que leur fils n'était pas de retour pour la nuit, leur détresse quand ils appelleraient la police pour signaler sa disparition. Au moins, Mathieu pourrait leur raconter ce qui s'était passé. S'ils le croyaient. Et s'il n'était pas dévoré à son tour.

Puis, l'étreinte sembla se relâcher petit à petit. Si lentement, que Simon crut que son âme se libérait de son corps, qu'il était en train de mourir. Mais l'air pénétra dans ses poumons comme une bénédiction. Et soudain, il bascula dans le vide.

La sensation de liberté se mêla à la panique, au moment où son corps fendit l'air à nouveau. Une fraction de seconde.

Le choc de sa chute fut amorti par la boue. L'eau salie imbiba les vêtements de Simon, qui respira la vase. Il se releva en crachant. Il entendit alors hurler Mathieu. Le garçon poussait des cris violents et sauvages ponctués de coups mats. Simon s'essuya les yeux et chercha son ami du regard.

Hache en main, Mathieu s'acharnait sur les racines de l'arbre. La créature esquivait maladroitement ses assauts, puisque le mouvement de ses racines était imprécis, en comparaison de celui de ses branches, qui elles, balayaient l'espace en direction de Mathieu. Un impact projeta ce dernier sur le côté. Sa tête heurta un tronc d'arbre.

La hache resta coincée dans le bois.

Simon para les attaques de la créature et parvint à récupérer son arme. Les dégâts faits à la créature étaient mineurs. Simon devait en faire plus. Beaucoup plus.

Pour se donner le temps de réfléchir, il s'éloigna de l'arbre en courant et porta secours à Mathieu, évanoui, qu'il tira quelques mètres plus loin afin de le mettre en lieu sûr. La sueur ruisselait sur les tempes de Simon, qui refusait de laisser sa terreur le paralyser. Il revint sur ses pas et contourna le monstre en évitant de justesse les branches griffues.

Simon fixait l'arbre en reculant à petits pas. Les racines de l'ennemi craquaient, alors qu'il se dirigeait lentement vers le garçon. L'arbre se mit soudain à courir.

Simon prit ses jambes à son cou le plus vite possible. Au lieu de s'enfoncer dans la forêt pour gêner la progression du géant, il suivit le sentier. Parvenu au Chaudron, il quitta la terre battue pour foncer dans les broussailles. La pente était abrupte et parsemée d'arbustes et de roches. Les mouches repérèrent rapidement Simon et leur bourdonnement emplit bientôt ses oreilles. Une fois la cuve du Chaudron traversée, Simon fit volte-face.

L'arbre avançait rapidement. Simon crut l'entendre grogner. La créature ne ralentit pas quand elle amorça la descente. Ses racines ne lui permirent pas de garder son équilibre. Ses branches fendirent l'air inutilement et le monstre bascula au creux du Chaudron. La chute de la forme imposante s'accompagna d'un souffle d'air chuintant.

Le tronc s'écrasa au sol et plusieurs de ses branches cassèrent. L'arbre se débattit avec une lenteur à la fois ridicule et terrifiante. Simon s'élança immédiatement et commença à grimper sur l'être maléfique comme sur un taureau mécanique. Il s'attaqua d'abord aux racines les plus solides, celles qui permettaient à l'arbre de se déplacer.

Tandis qu'il frappait le monstre, Simon sentait sourdre la souffrance de celui-ci dans les vibrations qui l'animaient. Sous ses pieds, la créature était agitée de secousses presque sismiques. Le garçon

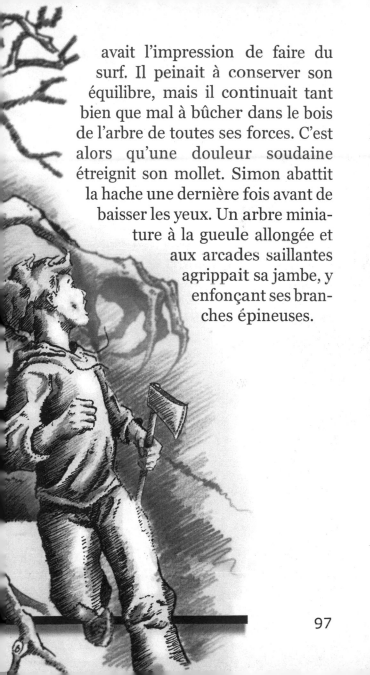

avait l'impression de faire du surf. Il peinait à conserver son équilibre, mais il continuait tant bien que mal à bûcher dans le bois de l'arbre de toutes ses forces. C'est alors qu'une douleur soudaine étreignit son mollet. Simon abattit la hache une dernière fois avant de baisser les yeux. Un arbre miniature à la gueule allongée et aux arcades saillantes agrippait sa jambe, y enfonçant ses branches épineuses.

Déstabilisé, le garçon perdit pied. Un buisson de bardane craqua sous son poids, et son corps se retrouva parsemé de toques. Les crochets des petits fruits piquèrent la peau de Simon au travers de ses vêtements déchirés. Le petit monstre végétal, de la taille d'un chat, grimpait déjà sur lui. Ses branches acérées menaçaient son visage. Simon leva les mains pour se protéger. Il tenta en vain d'attraper la créature pour la lancer au loin, mais il ne parvint pas à la déloger.

Simon hurla quand la chose tomba sur son visage. Il ferma les yeux. Au lieu de sentir les branches perforer ses paupières, percer sa rétine et lui dérober à jamais la vue, il perçut un léger souffle sur son visage. Il ouvrit les yeux. À contre-jour, il vit la silhouette de Mathieu qui brandissait une pierre juste assez grosse pour servir d'arme, et juste assez petite pour qu'il puisse la tenir d'une seule main. Son ami la fit tomber près de lui, à l'extérieur de son champ de vision. Un craquement familier résonna dans le Chaudron. Empêtré dans les bardanes, Simon avait peine à se relever.

Mathieu lui tendit la main. Grâce à cette aide, Simon bondit sur ses jambes malgré les blessures qui meurtrissaient son corps. Ses vêtements humides claquèrent contre sa peau. Derrière Mathieu, l'arbre monstrueux se tordait, se retournait. Tout à coup, ses branches battirent l'air en direction du sauveur de Simon. Celui-ci se précipita et poussa Mathieu au sol. Ils s'écrasèrent ensemble dans les herbes longues. Une seconde plus tard, Simon s'élançait vers le haut de la pente, Mathieu sur ses talons.

Une fois qu'ils furent sortis du Chaudron, les deux amis se retournèrent vers le lieu maléfique. L'arbre ne les avait pas pris en chasse. Il se tortillait comme une tortue sur sa carapace. Mathieu fit mine de vouloir s'enfuir, mais Simon le retint. Il ne pouvait se résoudre à laisser le monstre ainsi. Et si, dans deux jours, deux semaines, deux mois, l'arbre se relevait ? Et s'il tentait à nouveau de les tuer ?

— La partie n'est pas encore gagnée ! Il faut s'en débarrasser une fois pour toutes. Il faut brûler cette créature !

Chapitre 14

Vêtu d'un épais chandail de laine tricoté par sa grand-mère, Simon dessinait sur la table du patio. La brise faisait vibrer son papier. S'il l'avait lâché, il se serait envolé avec le vent. Il leva la tête pour regarder son père tondre la pelouse. À l'occasion, il entendait un craquement sec. Chaque fois, il frissonnait en pensant aux arbrisseaux monstrueux qui avaient vu le jour dans sa cour. Il les avait probablement tous exterminés, mais Simon ne pouvait s'empêcher de trembler à l'idée qu'il puisse en rester un seul. Au moins, l'arbre était mort. Ils avaient aspergé son tronc avec un mélange d'huile et d'essence, puis l'avaient regardé brûler, et quand ils avaient été certains qu'il n'en restait plus rien, ils avaient anonymement appelé les pompiers pour que le brasier ne s'étende pas au reste de la forêt. Heureusement, un orage de fin d'après-midi avait aidé les sapeurs à étouffer les flammes. L'arbre calciné sommeillait maintenant au centre du Chaudron.

Quelques jours plus tard, Simon était retourné le voir. Tout semblait normal. La peur qui l'avait étreint prenait désormais racine dans ses souvenirs, elle n'était plus nourrie par l'aura maléfique qui avait hanté le Chaudron.

Simon posa la pointe de son crayon sur le papier. D'un geste imprécis, il traça la silhouette de son père, puis esquissa la forme du cabanon et de la longue clôture de bois. Au fur et à mesure qu'il dessinait, le sourire de Simon s'élargissait. Il contrôlait lui-même ses doigts. C'était bien le fruit de son piètre talent d'artiste qu'il pouvait contempler. L'esprit de Luc avait-il été libéré parce qu'ils avaient vaincu l'arbre ?

Simon finissait de dessiner la forêt quand la voix de Mathieu l'interpella. Il releva la tête pour le saluer.

— Qu'est-ce que tu fais ?

Simon brandit le dessin pour le lui montrer.

— C'est comme ça que je dessine normalement. Je...

Il interrompit sa phrase. Le visage de Mathieu s'était déformé. Ses yeux étaient écarquillés et sa bouche entrouverte. Il respirait trop rapidement. Son regard ne quittait pas le dessin.

Simon retourna la feuille pour l'examiner. Il mit quelques secondes à comprendre ce que son ami avait tout de suite vu.

La forêt.

Elle souriait.

Un rictus maléfique et singulier.

Une menace.

Une promesse de vengeance.

Simon regarda Mathieu, puis de nouveau la feuille.

— Ce n'est peut-être qu'une coïncidence.

Cependant, au fond de lui, il savait qu'il n'en était rien. Simon leva les yeux vers les bois. Il observa un instant le feuillage des arbres que le vent écartait comme une gueule béante, prête à les avaler.

« L'arbre n'est pas le vrai monstre... »

Simon froissa la feuille et laissa la brise l'emporter. La boule de papier roula sur le gazon. Quand le père de Simon passa dessus avec la tondeuse, elle fut réduite en confettis blancs que le vent dispersa.

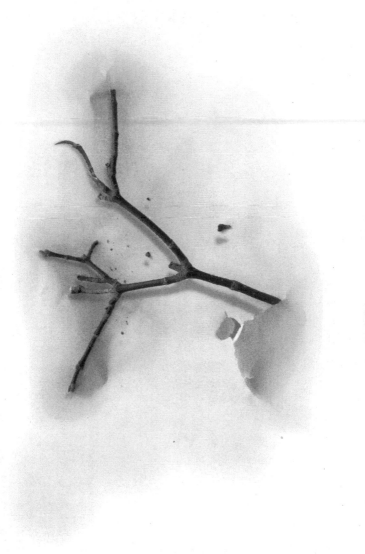

Table des matières

Frédéric Raymond

Frédéric Raymond adore les monstres. Il les aime tellement qu'il en mangerait au petit déjeuner! Ah non, ça c'est le sucre à la crème... N'empêche, les histoires d'horreur, c'est son péché mignon. C'est pour cette raison, et pour commander des histoires terrifiantes à ses auteurs préférés, qu'il fonde en 2011 une maison d'édition consacrée à l'horreur pour adultes. En 2014, il publie son premier roman d'horreur chez Les Six Brumes. Aujourd'hui, il est excité de pouvoir enfin lire un de ses romans à ses trois charmantes petites filles. Pensez-vous qu'elles auront peur? Outre ses activités littéraires, Frédéric combine la biologie et l'informatique pour étudier l'ADN des microbes dans le but d'améliorer la santé des petits et des grands.

www.fredericraymond.com

Mathieu Bellemare

Mathieu Bellemare est un illustrateur et compositeur de la région de Lanaudière au Québec. Après des études en arts visuels, il se dirige vers des études musicales où il complétera une maîtrise en composition. À la sortie de l'université, il fonde un projet de chansons en combinant son amour pour les histoires sombres et la musique des vieux films en noir et blanc. En 2015, il fait paraître son premier album, *Chants des Marais et des Morts*, qui lui valut de nombreux prix et qui prend la forme d'un disque-livre illustré permettant à la fois de lire, de voir et d'entendre chacune des chansons du disque. Avec son univers à la fois inquiétant et féerique, tout désigné pour nous amener à travers les sentiers tortueux de ce livre, Mathieu Bellemare signe ici sa première collaboration auprès des Éditions du Phoenix.

www.mathieubellemare.com

Achevé d'imprimer
en août deux mille seize, sur les presses
de l'imprimerie Gauvin, Gatineau, Québec